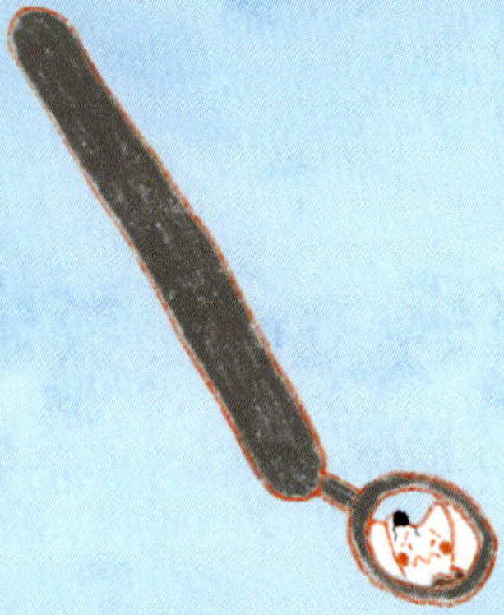

최정희 글

꽃과 나무, 자연과 함께 사는 동물들, 무엇보다 아이들을 사랑합니다.
1990년 《월간문학》에 수필로 등단했고, 1993년 동아일보 신춘문예에 동화가 뽑혀 동화 작가로 활동하고 있습니다.
아이들이 좋아하는 맛있는 동화 짓는 할머니가 되는 것이 꿈입니다.
옮긴 책으로 《우리 할아버지》, 《톰의 꼬리》가 있으며,
지은 책으로 《동물원을 지켜줘!》, 《무섭긴 뭐가 무서워》, 《아홉 살 엄마》, 《나는 조선의 외교관이다》 등이 있습니다.

나승현 그림

알로하아트(ALOHAART)에서 반려견 소랑이, 어린이들과 함께 미술 작업을 하고 있습니다.
쓰고 그린 책으로 《바닷가로 살금살금》, 《바나나 바나나》가 있습니다.
Instagram@gaeso529

곰 이빨 치료하는 날
The Day The Bear Went to The Dentist

1판 1쇄 | 2023년 9월 15일

글 | 최정희
그림 | 나승현

펴낸이 | 박현진
펴낸곳 | (주)풀과바람
주소 | 경기도 파주시 회동길 329(서패동, 파주출판도시)
전화 | 031) 955-9655~6
팩스 | 031) 955-9657
출판등록 | 2000년 4월 24일 제20-328호
블로그 | blog.naver.com/grassandwind
이메일 | grassandwind@hanmail.net

편집 | 이영란
디자인 | 박기준
마케팅 | 이승민

값 14,000원
ISBN 978-89-8389-283-6 77810

※ 잘못 만들어진 책은 구입처에서 바꾸어 드립니다.

제품명 곰 이빨 치료하는 날 | **제조자명** (주)풀과바람 | **제조국명** 대한민국
전화번호 031)955-9655~6 | **주소** 경기도 파주시 회동길 329
제조년월 2023년 9월 15일 | **사용 연령** 3세 이상
KC마크는 이 제품이 공통안전기준에 적합하였음을 의미합니다.

⚠ 주의
어린이가 책 모서리에
다치지 않게 주의하세요.

곰 이빨 치료하는 날

최정희 글 · 나승현 그림

바우솔

숲속 치과 병원

치과 의사 고운은 숲을 무척 사랑해서 산동네에 병원을 차렸어요.
'아함! 오늘도 손님이 없네. 산책이나 갈까?'
고운 선생님은 하얀 가운을 벗어 걸고 밖으로 나갔어요.

"야옹야옹!"

고양이 한 마리가 현관 앞에 있었어요.

"길고양이인가?"

고운 선생님은 숲길을 한 바퀴 돌아 집으로 왔어요.

"야옹!"

"아이코, 깜짝이야! 여태 여기 있었니?"

고양이는 애처로운 눈빛으로 고운 선생님을

쳐다보았어요.

숲속 치과 병원

고운 선생님은 저녁 식사를 준비했습니다.

'아직도 있나?'

밥을 먹는 동안 고양이가 마음에 걸렸던 고운 선생님은

고기 몇 점을 들고 밖으로 나왔어요.

"자, 먹어라."

고양이가 덥석 고기 한 점을 입에 물더니,

"앙!" 비명을 지르며 고기를 땅에 떨어뜨렸어요.

“왜 그래?”
고양이는 두 발로 입을 싸안았어요.
“어디 보자!”
고운 선생님은 조심조심 고양이 입을 벌렸어요.
“저런, 이빨이 썩었네! 치료해야겠는데… 어쩌지?”

가글

고운 선생님은 고양이를 데려와서 의자에 앉혔습니다.

"마침 남은 주사기랑 끌이 하나 있구나. 아파도 참아라."

고양이 이빨은 석류알처럼 작아서 치료하기가 까다로웠어요.

고운 선생님은 썩은 곳을 갈아내고 예쁘게 땜질해 주었습니다.

다음 날도 병원은 조용했어요.

"똑똑, 똑똑!"

갑자기 문을 두드리는 소리가 났어요.

'손님인가?'

고운 선생님이 문을 열자, 뜻밖에도 늙은 원숭이 한 마리가
서 있었어요.

"웬일이니?"

원숭이는 대답 대신 쭈글쭈글 주름진 왼뺨을 벅벅 긁었습니다.

"아, 알았다. 너도 이빨이 아픈 거로구나."

고운 선생님은 누렇게 변한 원숭이 앞니를 하얗게 닦아내고
정성껏 치료해 주었습니다.

12
11
10
9
8
7

오랜만에 치과는 손님들로 북적였어요.
오전엔 할아버지의 틀니를 만들어 끼우고,
오후엔 이 뽑다 기절한 할머니를 깨우느라 애를 먹었어요.
"오늘은 일찍 끝내고 쉬어야겠다."
그때, "철퍼덕 턱, 철퍼덕 턱!"
문밖에서 이상한 소리가 들렸어요.
고운 선생님은 살그머니 현관문을 밀었습니다.

"아이코!"

한쪽 상아가 부러진 아기 코끼리가 문 앞에 서 있었어요.

"아하! 너도 이빨이 아픈 거야? 그런데 넌… 너무 커서 곤란해."

고운 선생님은 손사래를 쳤어요.

코끼리가 긴 코로 땅바닥을 툭툭 내리쳤습니다.

"어서 가. 암만 그래봤자 소용없어!"

고운 선생님은 병원 문을 닫고 일찍 잠자리에 들었습니다.

푹 자고 일어난 아침, 고운 선생님은
앞마당 새들을 깨우려고 문을 열었어요.
"어! 너, 아직도?"
코끼리는 밤새 문 앞을 지키고 있었어요.
이번에는 고운 선생님이 코끼리에게 부탁했습니다.
"얘야, 우리 병원에는 네가 앉을 의자도 없단다."
그런데도 코끼리는 고개를 푹 떨구고 눈물까지 흘렸어요.

고운 선생님은 시내에 가서 커다란 끌과 약, 주사기를
한 아름 사서 집으로 돌아왔습니다.
그러고는 앞뜰 낙엽 침대 위에 코끼리를 눕혔어요.
"상아가 깨져서 병균이 타고 들어갔네. 우선 이쪽부터 치료하자."

코끼리 엄니는 너럭바위만큼 컸어요.
고운 선생님은 해가 서쪽 하늘로 훌쩍 기울 때까지
부러진 상아를 갈아내고 땜질했습니다.
"아이고 힘들어. 이제 다시는 숲속 동물 치료는 안 할 거야."
결리는 어깨를 두드리며 고운 선생님은
스스로 단단히 일렀습니다.

너럭바위

이튿날 오솔길을 걸을 때였어요.

"바삭바삭, 바삭바삭."

등 뒤에서 마른 낙엽 밟는 소리가 들렸습니다.

고운 선생님은 걸음을 멈추고 뒤를 돌아보았어요.

"고, 곰이다!"

너무 놀라 꼼짝 못 하고 곰의 얼굴을 마주 보았어요.

"크어엉 크어~엉!"

곰은 입을 쩍 벌린 채 이빨을 다 드러냈어요.

"아, 이빨 부러진 곰이구나!"
이번엔 고운 선생님도 덜컥 겁이 났어요.
"넌… 너는 안 돼!"
고운 선생님은 뒤돌아서서 달리기 시작했어요.
"사사사삭 사사사삭!"
낙엽 밟는 소리도 점점 빨라졌어요.

힐끗 뒤를 돌아다보았습니다.
이게 웬일인가요?
고양이 뒤에 원숭이, 원숭이 뒤에 코끼리,
곰이 줄줄이 따라왔어요.
고운 선생님은 얼른 집으로 들어와
문을 꼭꼭 걸어 잠갔습니다.

"아, 피곤해!"
곰 때문에 노루잠을 잔 고운 선생님은
졸린 눈을 비비며 현관문을 열었어요.
"엄마야!"
고양이 옆에 원숭이, 원숭이 옆에 코끼리,
코끼리 옆에 곰이 시위하듯 낙엽 침대 위에
한 줄로 드러누워 있었습니다.
"내가 졌다!"

"아, 입을 벌려 봐!"
네 개의 날카로운 송곳니로 들어가는 손이 덜덜 떨렸어요.
옷이 흠뻑 다 젖었을 무렵에야 무사히 치료가 끝났습니다.
친구들과 함께 사이좋게 숲으로 돌아가는 곰의 뒷모습을 바라보며
고운 선생님은 어느새 기분이 좋아졌어요.
'잘했다, 잘했어!'
그날 밤 고운 선생님은 밤새 불을 환히 켜고 무언가를 뚝딱거렸습니다.

다음 날 아침, 병원 간판이 새로 바뀌었습니다.

우리 병원은
숲속 동물 친구들만
치료합니다.

숲속 동물 치과 병원